아이와 함께
어른이
되어간다

저자 김수미

나는 좋은 사람이 되고 싶었다.
어릴 때의 나는 실수가 잦았고 좋은 사람이지 못했다.
연년생 남매를 낳고 나는 엄마가 됐다.
미성숙한 내가 좋은 엄마가 될 수 있을까 싶었다.
아이를 키우며 새로운 경험을 했고, 세상을 바라보는 관점이 바뀌게 됐다.
아이와 함께하며 나는 아이와 함께 성장하고 있다.
부정적이고 비관적이던 나는, 긍정적이고 소소한 행복을 찾는 사람이 됐다.
그리고 좋은 사람이 될 미래의 나를 기대하게 됐다.

아이와 함께 어른이 되어간다

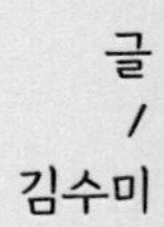

글 / 김수미

그림 / 부인혁 부은채 부준원

차례

1장
연년생 육아 이야기

2장
그렇게 어른이 된다

3장
엄마 반성문

4장
행복한 순간

책 / 소 / 개

아이와 함께하는 소중한 순간을 기록하기 위해 글을 쓰기 시작했다.

글을 쓰다 보니 아이와 함께 어른이 되어 가는 내가 보였다.

아이의 성장을 믿어주고 지켜봐야 하는데 그러지 못하는 나를 발견했다. 그런데도 아이들은 나를 사랑해 주고 있음을 깨달았다.

엄마가 아니었으면 몰랐을 세상을, 감정을, 아이를 통해서 알게 됐다.

내가 아이를 키운다고 생각했지만, 아이들이 나를 어른으로 만들어 주고 있었다.

이 책은 연년생 남매의 육아 일기이자 나의 성장일지다.

이 책을 펼쳐 본

미래의 은채, 준원이, 남편에게

그리고 미래의 나에게

그때의 우리는 참 행복했다.

그리고 앞으로도 행복할 것이다.

1장. 연년생 육아 이야기

- 20개월 차이 연년생 남매 육아 일기 -

연년생 남매 키우기

가끔 길을 가다가 아기띠로 아기를 안고, 3살쯤 된 아이의 손을 잡고 지나가는 엄마를 보면 짠한 마음에 자꾸 돌아보게 된다. 표정 없이 둘째 아이를 안고 어린 첫째의 손을 잡고 걸어가던 그때의 나를 보는 것 같아 괜히 코끝이 찡해진다.

은채가 8개월이 되었을 무렵 거실에서 혼자 놀고 있는 은채의 뒷모습이 너무 쓸쓸해 보였다. 그래서 은채에게 동생이 있으면 덜 외롭지 않을까 하는 생각에 둘째를 낳기로 결심하였다.

은채와 두 살 차이가 나는 동생이 있으면 좋겠다고 생각했지만 둘째는 생각보다 일찍 찾아왔다. 그리고 나는 20개월 차이 연년생 남매 엄마가 되었다.

둘째를 임신했을 때 주변에서는 나에게 많은 걱정을 해주었다. '쌍

둥이보다 힘든 것이 연년생 육아다.', '아이 하나 키우는 것과 둘 키우는 것은 차원이 다르게 힘들다.' 등의 우려를 들을 때마다 첫째를 키워봤으니 괜찮을 거로 생각했다.

주변에서 걱정해 준 것처럼 역시나 연년생 육아는 쉽지 않았다. 기저귀를 차고 말도 잘하지 못하는 첫째와 갓난아기인 둘째를 동시에 돌보기란 쉽지 않았다. 가장 큰 크기의 기저귀와 가장 작은 크기의 기저귀를 정리해 놓으니 연년생 육아가 실감 나며 헛웃음만 나왔다. 연년생 육아를 하는 동안 내가 가장 힘들었던 것은 미안함이다.

둘째 임신 기간에 첫돌이 지난 은채의 육아를 하느라 둘째의 태교는 뒷전이었다. 하루는 은채를 재우고 나니 뱃속에서 태동이 느껴졌다. 배 위로 올록볼록 하는 아기의 움직임을 보면서 둘째의 태명을 부르며 태담을 한 적이 거의 없는 걸 깨닫고 미안해졌다.

준원이를 낳고 나서도 은채 위주의 나들이를 하느라 준원이는 유모차에 가만히 있어야 했었다. 은채는 온 가족의 온전한 관심과 사랑을 받았는데 준원이는 그 사랑을 다 받지 못하는 것 같아 미안했다. 누나가 입었던 분홍색 내복을 물려 입기만 하는 준원이에게 미안해서 한 번씩 새 옷을 사주기도 했다. 어린이집 다니는 누나가 있어서 그런지 감기에 자주 걸려서 어린 준원이가 약을 먹는 게 안쓰러웠다.

은채에게도 미안한 일이 많았다. 준원이가 태어나던 날 갓 태어난 준원이를 보기 위해 가족들이 기다리고 있었다. 준원이가 나오자, 모든 가족은 준원이에게 다가가서 아기의 탄생을 축하해줬다. 그때 은채는 가족들과 떨어져서 멀뚱멀뚱 이 광경을 지켜보고 있었고, 아무도 챙겨주지 못한 은채를 시어머니께서 안아주셨다고 했다. 조리원에 들어가기 전 은채가 병원으로 면회를 왔었다. 짧은 만남 이후 은채를 먼저 집에 보냈다. 이제 가면 한동안 엄마를 못 볼 걸 알았는지 내내 웃고 있던 은채가 엘리베이터 문이 닫힘과 동시에 "엄마" 하면서 큰 소리로 울었다. 은채의 울음소리가 엘리베이터와 함께 내려가는 데 따라가서 안아주지 못해 미안했다.

어린 동생을 먹이고 재우느라 소외되었던 은채의 시간이 미안했다. 아직 어린 은채에게 자꾸 이해와 배려를 요구했다. 가족 모임을 하면 기어다니는 준원이에게 어른들의 관심이 몰렸고, 은채는 그런 모습을 쳐다보기만 했다. 이모들이 은채의 옆에 달라붙어 함께 놀아주었을 때 은채가 행복해하던 모습을 보며 관심과 사랑이 필요했던 은채가 보여 마음 아팠다.

손이 부족하고 몸이 힘들기도 했지만, 아이에게 충분한 사랑을 주지 못한다는 것이 어린 연년생 육아에서 가장 힘든 부분이었다. 너무 어린 나이에 누나가 되어버린 은채에게, 처음부터 사랑을 나눠 가진 준원이에게 너무 미안했다.

둘째가 돌이 지나고 나는 복직했다. 일과 아이 둘의 육아, 집안일을 병행하기가 정말 쉽지 않았다. 복직할 당시에 코로나19의 유행이 시작되면서 혼란스러운 일들이 많았다. 이로 인해 내가 아이들에게 신경을 덜 쓰게 되는 상황이 반복됐다.

역설적으로 이때부터 나는 아이들에 대한 미안함을 내려놓게 된 것 같다. 아이들의 모든 부분을 내가 신경 쓰지 못했지만, 아이들은 잘 자랐다. 아이들에게 온전한 사랑을 주지 못한다는 미안함은 완벽한 엄마가 되고 싶다는 나의 집착에서 온 것이라는 생각이 들었다. 집착과 미안함을 내려놓자, 연년생 육아가 편해졌다. 아이들은 스스로 클 수 있다는 믿음이 생겼다.

지금의 은채와 준원이는 좋은 친구가 된 것 같다. 집에 오면 둘이 책상에 앉아서 각자 할 일을 하고, 카페 놀이를 하겠다고 온갖 물건을 꺼내어 놀며 집안을 어지럽힌다. 같은 어린이집과 유치원에 다니면서 있었던 일을 얘기하며 공감하고, 둘에게만 재미있는 TV 프로그램을 보며 깔깔 웃는다. 비슷한 연령대여서 함께 할 수 있는 체험도 많다. 놀이터에 가면 서로가 가장 친한 친구가 되어 신나게 노는 모습을 보면 연년생으로 낳길 잘했다는 생각이 든다. 지금의 우정이 평생 가기를 바란다.

첫째의 설움

나는 첫째이다. 친가 쪽에서는 처음 태어난 아기였다. 그래서 어릴 때 어른들의 모든 사랑과 관심을 독차지했다고 한다. 내가 거실에 있으면 어른들이 빙 둘러앉아 내가 하는 것을 보면서 웃으셨다고 했다.

친정에서 처음 태어난 아기인 은채는 어릴 때의 나처럼 어른들의 모든 관심과 사랑을 받으며 자랐다. 명절에 모이면 은채를 가운데 두고 어른들이 빙 둘러앉아 은채의 말과 행동을 보며 웃었다. 가족 모임이 있으면 은채는 좋아하는 이모들의 손을 하나씩 잡고 다닌다. 내가 어릴 때 당연하게 받았던 사랑이 감사한 일이었음을, 은채를 통해서 알게 됐다.

준원이가 태어나자 20개월의 은채는 누나가 되었다. 나는 은채에게 사랑을 충분히 주고, 첫째로서의 설움은 주지 않겠다고 다짐했다. 은채가 첫째의 책임감으로 어린 어른이 되기보다는 그 나이에 알맞은 아이로 자라기를 바랐다.

나의 다짐과는 반대로 은채에게 자꾸 첫째로서의 희생과 책임감을 주는 상황이 생겼다. 나들이 갔을 때 힘들다고 안아달라는 3살 은채에게 동생이 있으니 안아줄 수 없다고 걸어가도록 했다. 너무 빨리 누나가 되었기에 집 밖에서 은채를 안거나 업어준 적이 거의 없는 것 같다. 동생보다는 말귀를 더 잘 알아듣고 글을 빨리 읽었기에 보일러 틀기, 물건 갖다 놓기 등의 심부름은 은채의 몫이었다. 혼자 샤워해 보겠다는 은채에게 동생과 같이 씻으라고 하며 본인과 동생의 샤워를 책임지게 했다. 이렇게 나는 언젠가부터 은채에게만 무언가를 지시하고 있었다.

자기 전 하루의 장면을 돌아보는데 준원이의 눈웃음과 은채의 목소리가 떠올랐다. 하지만 은채의 표정이 기억나지 않았다. 은채가 말할 때 나는 들어주기만 했을 뿐 은채를 보지 않았다. 은채는 다른 곳을 보고 무언가를 하면서 자기의 말을 듣는 엄마를 봤을 것이다. 그때 은채는 어떤 표정이었을까? 은채에게 미안해지는 밤이었다.

초등학교에 들어간 은채가 시 쓰기 수업에서 '누나가 최고야!'라는 시를 썼다. 동생에게 듣고 싶은 말이라고 했다. 은채가 동생과 함께하는 것은 은채의 노력과 정성이 들어간 것인데 언젠가부터 엄마도, 동생도 이를 당연한 것으로 여기고 있었다. 은채도 엄마한테 안기고 싶은 어린아이인데 내가 은채를 애어른으로 만들고 있었다. 은채를 자꾸 서럽게 만들고 있었다.

그날 저녁 나는 은채에게 동생을 씻겨줘서 고맙다고 얘기했다. 은채는 멋쩍은 듯 웃었다.

누나가 최고야!

부은채

준원이가 블록 만들 때
내가 도와줄까라고 말하면
준원이는 나에게 누나가 최고야라고
말하면 좋겠다
샤워시켜 줄 때도 듣고 싶은 말
누나가 최고야!

둘째는 처음이라

나는 첫째 때보다 둘째 임신 기간에 마음이 편했다. 첫째 육아를 하고 있어서 아이의 성장 과정을 알고 있고, 여유 있게 키워도 괜찮다고 생각했기 때문이다. 그리고 아직 어린 첫째가 있어 뱃속의 둘째에게 신경을 덜 쓸 수밖에 없는 상황도 또 다른 이유였다. 둘째 육아는 어렵지 않을 거로 생각했다.

하지만 둘째 육아는 또 다른 육아의 시작이었다.

갓 태어난 아기의 기저귀를 갈아주는 것이 너무 어려웠다. 너무 작은 엉덩이와 가는 다리를 보고 저 다리를 어떻게 잡아서 기저귀를 갈아줘야 할지 몰라서 쩔쩔맸다. 첫째의 기저귀를 갈았던 경험이 있어서 할 수 있을 줄 알았는데 아니었다. 모유 수유는 여전히 힘들었고 아기가 왜 우는지 몰라 당황스러운 적이 많았다. "준원아, 엄마야."라고 불렀는데 반응이 없는 아기를 보고 얘가 왜 반응이 없는지를 한참 고민했다. 20개월인 은채와 이야기하는 게 익숙해져 있어서 신생아와는 즉각적인 상호작용이 안 된다는 사실을 잊고 있었다.

준원이가 100일쯤 됐을 무렵 뒤집기를 하기 위해 몸을 움직이기 시작했다. 은채가 120일 무렵 뒤집기에 성공했기 때문에 준원이도 당연히 그쯤에 뒤집기를 할 거로 생각했다. 준원이는 135일쯤에 뒤집기에 성공했다. 준원이의 120일 이후 뒤집기에 성공할 때까지 보름 동안 고민이 많았다. 혹시 발달이 느린 아이는 아닐지 걱정하며 찾아보기도 했다. 은채의 육아 일지를 들춰보며 첫째와 둘째의 발달을 비교하고 느린 부분과 빠른 부분을 확인하며 안심하는 날이 계속됐다.

첫째의 경험을 기준으로 이유식 시작 시기를 고민하고 있었을 때였다. 그날도 첫째와 둘째의 발달을 비교하면서 준원이의 다음 발달 과업이 언제쯤 이루어질지 생각하고 있었다.

그때,

'은채랑 준원이는 각자 다른 아인데 왜 비교하고 있지? 은채는 은채의 속도에 맞춰서 키웠는데 준원이는 준원이의 속도가 아닌 은채의 속도에 맞추려고 해?'

라는 생각이 머리를 스쳤다.

나에게는 아기의 발달 기준이 은채였기 때문에, 은채에 맞춰 준원이를 키우고 있었다. 첫째 때는 비교 대상이 없어 아이의 성장 그 자체만으로도 감사하고 행복했지만 둘째는 둘째의 성장을 온전히 즐기지 못하고 있다는 생각이 들었다. 준원이는 자기만의 속도로 열심히 자라는 중인데 엄마인 내가 그것을 몰라주는 것 같아서 정말 미안했다.

그 이후로는 둘째의 육아가 한결 편해졌고 준원이는 잘 자라고 있다.

준원이는 웃음이 많은 아이다. "으캬캬캬"하는 준원이의 웃음소리를 들으면 행복해졌고, 나랑 눈이 마주쳤을 때 해사하게 웃어주는 준원이의 눈웃음을 보면 나도 똑같은 웃음을 짓게 됐다. 이유식이든 분유든 주는 대로 잘 먹어서 준원이와 함께 하는 시간이 그리 힘들지 않았다.

"엄마가 너무 예뻐서 나 엄마한테 사랑에 빠졌어."

"엄마가 너무 예뻐서 식당 사람들이 다 쳐다볼 것 같아."

라고 설레는 말을 자주 하는 사랑둥이로 준원이는 자라고 있다.

준원이는 여러 번 입원했다. 입원할 때마다 준원이와 내가 병원에서 시간을 보내야 했다. 병원에서 준원이와 더 많이 가까워진 것 같다. 호기심 많은 성격이 잘 보였고 말 많은 준원이 덕분에 병원 생활이 심심하지 않았다. 보호자인 내가 입원 생활에 지칠 무렵 환자이지만 항상 즐거운 준원이를 보며 더 힘을 내기도 했다.

준원이가 성장하면서 은채와 다른 부분이 많이 보인다. 성향도 취향도 다른 두 아이를 키우면서 은채와 준원이를 똑같은 아이로 여기며 비교하고 있던 그때의 생각이 얼마나 잘못된 것인지 매번 깨닫는다. 준원이는 준원이만의 속도로 성장하는 중이다. 엄마는 준원이의 발걸음을 응원하며 조용히 따라가고 있다.

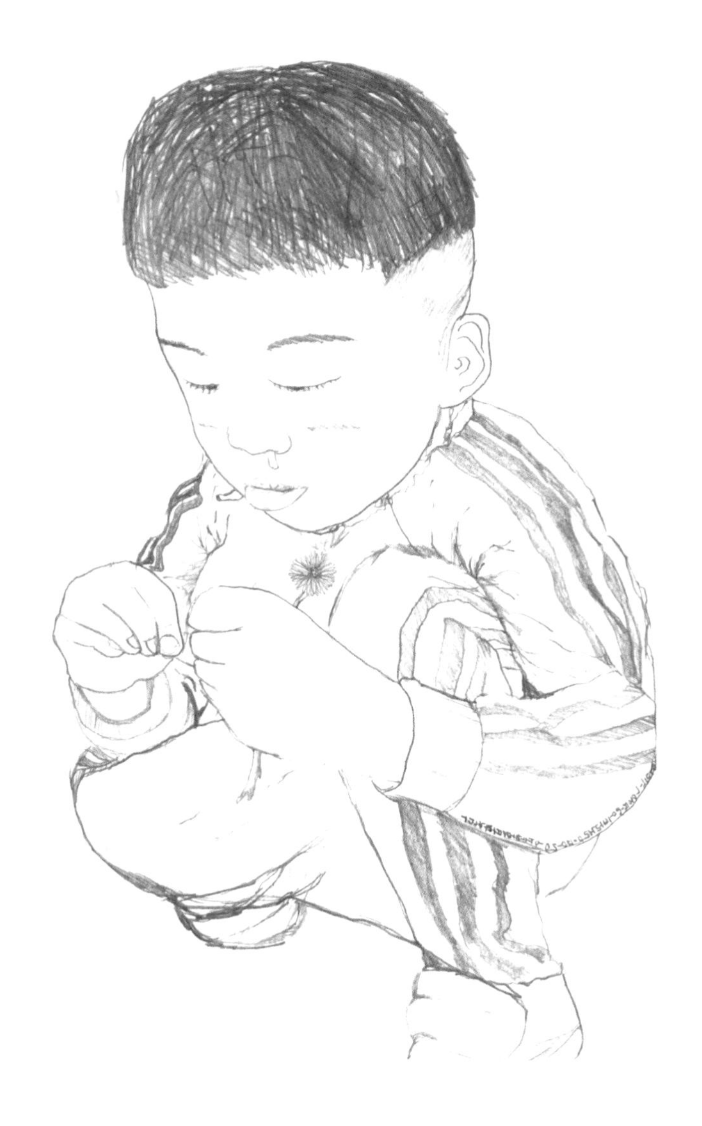

완모의 꿈

임신 사실을 알게 되자 난 좋은 엄마가 되고 싶었다. 이 아이를 위해서 뭐든 다 할 수 있을 것 같았다. 갓 태어난 아이를 위해 엄마가 할 수 있는 첫 번째는 자연분만이고 두 번째는 완모, 모유로만 아이를 키우는 완전 모유 수유였다.

나에게도 완모의 의지가 있었다. 제왕절개로 아이를 낳았으니 부족한 모성을 모유로 채워주고 싶었다. 처음으로 은채를 안고 젖을 물린 날, 엄마 젖이 있는 쪽으로 고개를 돌려 생각보다 강하게 빠는 아이의 힘에 깜짝 놀랐다. 생존에 대한 아이의 본능이 신기하기도 했다. 아직은 서툴러 엄마와 아이 모두에게 불편하고 불안한 모유 수유 시간이지만 익숙해지면 완모가 가능할 것 같았다.

그런데 은채는 모유를 잘 먹는 아이가 아니었다. 여러 방법으로 모유 수유를 시도했지만, 은채는 분유를 더 좋아했다. 나는 좋은 엄마가 되고 싶었기에 모유를 주고 싶었고, 매번 수유 때마다 모유를 먹지 않으려는 아이와 씨름했다. 엄마 젖을 물지 않겠다고 고개를 돌리는 아이를 보면 아이가 나를 거부하는 것 같아 상처받기도 했다.

은채 생후 70일쯤, 드디어 나는 젖을 물리는 대신 유축한 모유를 얼려두었다가 해동해서 젖병에 담아서 주기로 했다. 이렇게라도 은채에게 모유를 주고 싶었다.

은채가 100일쯤 됐을 때 배고플 시간이 되었는데도 모유가 담긴 젖병을 거부했다. 혹시나 하고 분유를 주었는데 순식간에 다 먹었다. 은채가 모유보다 분유를 더 좋아하는 걸 알고 그때 모유 수유를 완전히 포기했다. 더는 유축하지 않아도 된다는 후련함과 내가 잘하지 못해서 모유 수유를 끝까지 해내지 못했다는 미안함이 공존했다.

첫째인 은채를 완분(분유로만 아이를 키우는 것) 아기로 키우고 둘째를 낳게 되었다. 준원이에게도 당연히 모유 수유를 시도했다. 첫째 때 이루지 못한 완모의 꿈을 실현하고 싶었다. 그런데 준원이도 모유보다는 분유를 잘 먹었다. 그때는 미련 없이 단유했지만, 마음 한편이 아쉬운 건 어쩔 수 없었다.

"나 애기 때 엄마 찌찌는 맛없어서 안 먹었어. 분유가 맛있어서 먹었어."

은채가 5살이 되었을 때 갑자기 꺼낸 말이다.

그제야 알았다. 누가 만들었는지도 모를 '좋은 엄마'라는 타이틀을 갖고 싶어서 나는 아이의 마음은 고려하지 않고 엄마의 마음만 강요하고 있었다.

모유로 아이를 키우지 못한 것은 내가 잘못해서가 아니었다. 완모하지 못한 것에 대한 미안함을 갖지 않아도 됐다. 모유 수유를 하지 않았다고 내가 나쁜 엄마인 것은 아니었다.

수면 독립

밤 9시 30분, 우리 가족 모두 잘 시간이다.

불을 끄고 누워서 오늘 있었던 일을 얘기하다 보면 잠이 밀려온다. 그러면 나의 왼쪽에 누운 준원이가 "엄마 빼"라고 말하며 내 등 밑으로 깊숙이 자기의 오른손을 집어넣는다. 나의 오른쪽에 누운 은채는 "엄마 배"라고 말하며 나의 배를 베고 누워 잠든다.

아이가 어렸을 때 아이를 재우는 것이 힘들었다. 잠을 어떻게 재워야 할지도 모르겠고, 겨우 재워 놓으면 밤에 자꾸 깨니 나의 수면도 방해받았다.

아이는 졸리면 스르르 잠들 줄 알았다. 자장가를 불러주며 엉덩이를 토닥이면 잠들 줄 알았다. 우리 아이는 그런 천사 같은 아기가 아니었다.

아이가 신생아일 때 졸려서 우는 아기를 재워보겠다고 안으면 아기 손 탄다고 안지 말라고 하고, 제주도 전통 요람인 구덕에 눕혀 놓고 흔들어서 재우면 아기 머리가 흔들려서 좋은 방법이 아니라고 했다.

아기를 잘 재우는 방법을 찾아보니 아기에게 수면 교육을 해주면 된다고 했다. 아이가 조금 울더라도 수면 교육에 성공하면 스스로 잘 수 있다고 했다.

수면 교육 첫날, 인터넷에서 배운 대로 아이를 씻기고 배불리 먹인 다음 잘 자라고 말해주고 이불에 눕혔다. 당연히 아이는 울었다. 잠시 안아서 토닥이고 눕혀주기를 여러 번 반복했더니 아이는 점점 더 크게 울었다. 생후 30일 된 아이가 "이제 잘 시간이야. 잘 자."라는 말을 이해하고 잘 수가 없으니 당연한 결과였는지도 모르겠다. 아이는 계속 울고 나는 문밖에서 발을 동동 구르며 시간이 지나고 있었다.

나는 그날 수면 교육을 포기했다. 아이가 힘들지 않게 자는 것이 중요했다고 생각했기 때문이다. 그 이후로 아이를 구덕에서 흔들어 재우고, 아기띠로 안아서 재우고, 차에 태워서 재우다 보니 언젠가부터는 누워서 잠이 드는 아기가 됐다.

아이들과 함께 잠든 지 7년이 지났다. 첫째가 초등학교에 갈 시기가 되니 잠자리를 분리해야 한다는 얘기가 나왔다. 적절한 시기를 놓치면 아이가 커서도 같이 자야 한다고 했다.

수면 독립에 관한 얘기가 나오고 있을 무렵 7살 은채가 혼자 자겠다고 선언했다. 유치원 같은 반 친구가 자기 방에서 혼자 잔다는 얘기를 들었던 모양이다. 은채가 따로 잘 수 있게 잠자리를 마련해주었다. 그러면서도 나는 불안한 마음을 내비쳤고, 남편은 은채에게 아빠랑만 같이 자면 안 되겠냐고 물어봤다가 나에게 끌려 나왔다.

방에 혼자 누워서 자려는 은채는 설레어 했다. 혼자 자는 것에 대한 기대감, 내가 큰 언니가 된 것 같다는 뿌듯함이 얼굴에 보였다. 은채에게 잘 자라고 인사하고 불을 꺼주고 나오는데 느낌이 이상했다. 은채가 없는 방에서 엄마, 아빠, 준원이만 자려니 허전했다. 이렇게 아이가 커서 내 품을 벗어나고 있다는 생각에 기특하면서도 아쉬웠다.

은채의 수면 독립은 3일째 되던 날, 은채가 열이 나면서 끝이 났다. 어쩌면 엄마, 아빠가 은채와 더 함께하고 싶은 마음에 아이의 병간호를 핑계로 다시 같이 자자고 했던 것인지도 모르겠다.

아이들은 언젠가 커서 내 품을 떠날 것이다. 혼자서도 잘 살 수 있는 어른이 될 수 있도록 사랑과 정성으로 아이를 키우고 있다. 아이가 떠나는 그때, 나는 함께 하는 지금을 추억하며 훨훨 날아가는 아이를 지켜볼 것이다.

아이가 떠나기 전 내 옆에 있는 이 순간에 더 많이 사랑해 주고 안아 줄 것이다. 그래서 내 등 밑에 준원이의 손이 있고, 내 배 위에 은채의 머리가 있는 이 밤이 묵직하고 행복하다.

낯가림이 심한 아이

은채, 준원이를 본 사람들은 언제나 활짝 웃으며 아이들을 반겨준다. 그런 모습을 볼 때면 은채와 준원이는 사랑을 많이 받고 있음에 감사한 마음이 든다.

그러나 은채와 준원이는 낯가림이 심한 아이다. 매일 보는 부모 외에는 낯선 사람에게 잘 가지 않는다. 아기 때는 자주 보는 할머니나 삼촌을 만나더라도 다가가서 안기는 데까지는 약간의 시간이 필요했다. 그렇기에 (아이들 기준으로) 모르는 사람들에게 안기거나 재롱을 부리는 것은 불가능했다.

명절 인사를 드리러 친정에 가면 모든 가족은 유일한 아기인 은채, 준원이를 반갑게 맞아줬다. 하지만 은채, 준원이는 심한 낯가림으로 얼굴도 제대로 보여 주지 않고 우는 일이 많았다.

우리 아이들은 사람 말고 물건이나 장소에 대한 낯가림도 있다. 촉감 놀이를 하기 위해 콩이나 빨대 등 새로운 재료를 주면 만지고 노는 데 시간이 오래 걸렸다.

다른 집에 놀러 가면 그 장소에 익숙해질 때까지 엄마, 아빠 근처를 맴돌았다. 장난감을 주며 놀이를 유도하면 엄마, 아빠도 함께 놀자고 손을 잡아끌었다. 심지어 우리 집에 다른 아기가 놀러 오면 이 상황 자체가 낯설어져 우리 아이들은 가만히 있고 다른 아기가 우리 집의 이곳저곳을 탐색하는 일도 있었다.

나는 낯가림이 심한 아이들이 너무 답답했다. 이 사람과 장소는 안전한 곳이라고 얘기해줘도 아이들은 받아들이는 데 시간이 걸렸다. 낯가림이 사라져 신나게 놀기 시작하면 집에 갈 시간이 되어 제대로 놀지도 못하고 돌아오는 일이 많았다. 가장 안타까운 점은 집에서 볼 수 있는 은채, 준원이의 귀엽고 사랑스러운 모습을 다른 사람들에게 보여 주지 못하는 것이었다. 나는 낯가림 없이 활발한 다른 아이들을 부러워했고, 우리 아이들이 불편해하는 기색이 보여도 그 상황에 적응하도록 억지로 등을 떠밀기도 했다.

하지만 나 역시 낯가림이 심한 성격이다. 나는 새로운 사람을 만나거나 낯선 장소에 가는 것을 불편해한다. 주변을 살피며 사람이나 장소에 대해서 파악하는 시간이 필요하다.

이런 나를 닮은 아이들인데 나는 아이들이 나를 닮지 않기를 바랐다. 은채와 준원이는 나처럼 소심하고 소극적이지 않은, 활달하고 적극적인 아이로 자라기를 바랐다.

나와 아이의 성향을 이해하고 나서부터 나는 아이들의 낯가림을 받아들이기 시작했다. 억지로 그 상황에 적응하도록 강요하기보다는 아이들에게 시간이 필요하다는 점을 인정했다.

"모르는 사람들을 보면 부끄러워서 말도 잘 안 하고 엄마 옆에만 있는 거 다 알아. 엄마도 은채, 준원이처럼 낯선 곳에 가면 많이 불편하거든. 대신 부끄러워도 '안녕하세요', '안녕히 계세요'라고 인사는 꼭 해야 해."

낯가림에 대한 집착을 내려놓으니, 아이들의 낯가림이 좋아지고 있다. 요즘의 우리 아이들은 오랜만에 보는 사람에 대한 낯가림의 시간이 짧아지고 있다. 낯선 사람을 보고 인사하고는 "엄마, 나 부끄럽지만 아까 인사했어."라고 뿌듯해한다. 부끄러움을 극복하고 있는 아이의 노력을 지켜봐야겠다.

아이가 아프다

우리 아이들은 참 많이 아팠다. 돌 전의 은채가 처음 감기에 걸려 열이 났을 때 대학병원을 찾아가는 듯한 비장한 마음으로 은채와 동네 병원에 갔던 것 같다. 병원에서 아무렇지도 않게 약을 처방해 주는 의사 선생님을 보면서 머쓱해져서 돌아왔다. 나에게 은채가 아픈 것은 너무 심각한 일이었는데 병원에 있는 선생님에게는 아니었나 싶었다.

준원이는 더 자주 아팠다. 어린이집에 다니는 첫째가 있으면 둘째는 자주 아프다는 데 준원이가 그 사례였다. 기침하는 은채의 손을 잡고, 콧물을 흘리는 준원이를 안고 정말 많이 병원에 다녔다.

내가 복직한 이후에도 아이들은 여전히 자주 아팠다. 나와 아이들의 시간을 조정하면서 병원에 가야 했다. 아이가 아파서 잠을 잘 자지 못하면 나도 같이 못 자고 피곤한 상태로 출근해야 했다. 등원을 못 할 정도로 아픈 아이를 시어머니께 맡기고 출근하는 날은 온종일 마음이 너무 불편했다.

그런데 신기하게도 아이가 크면서 마음에 여유가 생겼다. 아이의 기침 한번에도 심장이 덜컥 내려앉으며 병원에 당장 가자고 했던 초보 엄마가 이제는 좀 지켜보자는 말을 할 수 있게 됐다. 열이 계속되어 아이가 힘들어하면 응급실에 가자는 말을 먼저 했었는데 이제는 아이를 지켜보며 기다린다. 열이 난 아이의 몸을 닦아주며 아이의 성장을 신기해하고, 아프지만 잘 자는 아이에게 감사해한다. 그렇게 아이를 지켜보며 남편과 소곤소곤 얘기하다 보면 아이의 열이 떨어진다. 내가 조급해한다고 해서 아이가 빨리 낫는 게 아니기에 여유를 가지고 아이의 회복을 기다리게 됐다.

아픈 아이를 대하는 나의 태도가 바뀐 데는 준원이의 입원이 큰 역할을 했다.

준원이는 여러 번 입원했다. 이유도 여러 가지였고 기간도 짧지 않았다. 아픈 아이와 함께 병원에 있으니, 가족들과 함께했던 시간이 그리워졌다. 병원에서 수액 바늘을 손에 꽂고 있는 준원이도, 엄마 없이 지내야 하는 은채도, 준원이를 걱정하며 은채와 함께 있는 남편도 안타까웠다. 이산가족이 되어버린 우리 네 식구의 상황이 어이없었다.

준원이의 입원 기간에 아이의 상처를 소독하고 매끼 여러 종류의 약을 챙겨 먹였다. 의사, 간호사 선생님을 보면 겁을 먹는 아이를 달랬고, 아프고 힘들어서 우는 아이를 달랬다. 심심해하는 아이를 위해 수액 걸이와 휠체어를 같이 끌면서 병원 복도를 돌아다녔고, 평소와 다를 것 없는 바깥 풍경을 보며 저곳에 속해있지 못함을 아쉬워하고 일상을 그리워했다.

불이 꺼진 병실 안에서 환자복을 입고 수액을 꽂은 채 잠든 아이를 바라봤던 순간은 어제처럼 선명하다. 가끔 병원에서 무서웠던 기억을 떠올리는 준원이를 보면 아이가 힘든 시간을 보낸 것 같아 마음이 너무 아프다.

그런데도 준원이는 그 시간을 정말 잘 버텨냈다. 준원이는 병원 생활 내내 누구보다 많이 말했고 호기심이 많았다. 매일 같은 편의점에서 같은 장난감을 구경했지만, 볼 때마다 신기해하고 재밌어했다. 병원에서는 평소보다 구급차를 많이 볼 수 있어서 좋아했다. 아픈 준원이가 씩씩하게 지내고 있으니 아프지 않은 나는 더 잘 지내야 했다.

준원이가 처음 입원했을 때, 남편이

"우리 지금 놀러 왔다고 생각하자. 여기서 맛있는 것도 시켜 먹을 수 있고 집안일은 하지 않아도 되고 얼마나 좋아. 편하게 놀다 간다고 생각하자."

라고 나를 위로해 줬다. 긍정적으로 병원 생활을 할 수 있게 해주려는 남편의 마음이 전해져서 나머지 입원 기간을 덜 힘들게 보낼 수 있었다. 이후에도 준원이가 입원할 때마다 남편이 했던 그 말을 생각하며 씩씩한 보호자가 되기 위해 노력했다. 아이가 아플 때 부모는 걱정하기보다 아이들이 의지할 수 있는 존재가 되어야 함을 남편이 알려줬다.

아이가 아파 걱정하는 내 모습을 보고 아이가 힘들어하지 않았으면 좋겠다. 씩씩한 엄마를 보고 아이가 힘을 내서 빨리 나았으면 좋겠다.

은채, 준원이는 아프지 않고 건강하게 자랐으면 좋겠다.

공동육아

온종일 말이 통하지 않는 아이와 집에만 있는 것이 외로웠다. 아이의 짐을 챙겨 친구네 집으로, 문화센터로, 키즈 카페로 나갔다. 그렇게 나의 공동육아가 시작됐다.

나의 공동육아는 아이에게 친구를 만들어주기 위한 목적이 아니었다. 내가 심심하지 않게 육아하고 싶었다. 여간해서는 먼저 연락하지 않는 나라는 사람이 용기 내어 연락하기 시작했다.

조리원 동기인 친구와 함께 육아하며 느끼는 감정 변화에 대해서 고민했고, 비슷한 시기에 임신했던 같은 직장 언니들과 함께 문화센터에 다녔다. 대학 동기들과 서로의 집으로 찾아가 아이들과 함께 시간을 보냈다.

거실에서 물감 놀이를 하거나 집에 에어바운스를 설치하는 것도, 새로운 키즈 카페에 가는 것도 공동육아를 했기에 가능했다. 혼자라면 할 수 없는 놀이도 다른 아이들과는 할 수 있었다. 서로의 아이들을 자기 아이처럼 예뻐해 주는 엄마들 덕분에 나의 육아는 힘들지 않았다.

공동육아는 아빠에게도 필요했나 보다. 남편과 친한 선배, 동기의 아이들이 우리 아이들과 나이가 비슷하다고 했다. 아이들을 데리고 아빠들끼리 모이기 시작하다가 엄마들이 모임에 동참했다. 그렇게 2년쯤 만났을 무렵, 공동육아를 지원하는 수눌음 돌봄공동체 사업에 육아 공동체로 선정되어 본격적인 공동육아를 시작했다.

수눌음 돌봄을 하면서 그 전보다 더 자주 만나게 됐다. 낯가림이 심한 우리 아이들인데 이 친구들을 만나면 적응 시간이 없이 바로 즐겁게 논다. 스케이트, 수영 등 다양한 체험을 하고, 실내에서는 보드게임 등 언니, 오빠들과 할 수 있는 놀이를 한다.

은채는 언니, 친구와 학교 놀이를 하고, 드라마를 찍을 거라며 만남을 기다린다. 준원이는 친구가 포켓몬 카드를 줬다며 소중하게 간직한다.

공동육아를 하며 나는 사람을 얻었다. 다들 아이를 키우고 있기에 육아의 어려움을 잘 알고 있어 서로 배려해 준다. 우리 아이들의 성장 과정을 몇 년 동안 지켜보며 아이들에 대해서 잘 알고 있다. 그래서 아이에 대한 고민이 있을 때 물어보면 쉽게 해결되기도 한다. 육아에 대한 다른 사람의 소중한 경험을 통해 내가 배우는 것이 더 많다.

2장. 그렇게 어른이 된다.

아이는 그렇게 어른이 되고 있다.

그리고 엄마도 어른이 되고 있다.

엄마를 닮은 아이, 아빠를 닮은 아이

첫딸은 아빠를 닮는다는 말이 있다. 내가 아빠를 닮은 첫딸이라 우리의 첫째 아기도 아빠를 닮지 않을까 예상했다. 남편을 닮은 여자아이의 얼굴이 어떨지 전혀 감이 오지 않았다. 아기의 얼굴이 찍힌 초음파 사진을 계속 들여다보며 태어날 아기의 얼굴을 상상하곤 했다.

우리의 첫딸인 은채는 아빠인 남편을 닮았다. 자세히 들여다보면 눈과 입은 나를 닮았지만 그래도 남편과 비슷하게 생겼다. 특히 웃을 때의 눈웃음은 아빠와 똑같다.

둘째를 임신했고, 둘째의 성별은 남자 아기였다. 아들은 엄마를 닮는다고 해서 나를 닮은 남자아이가 태어나지 않을까 기대했다. 아빠 닮은 아이와 엄마 닮은 아이가 한 명씩 있으면 공평할 것 같았다.

나의 기대 속에 태어난 준원이는 아빠를 닮았다. 아니, 아빠랑 똑같

이 생겼다. 분명 나의 유전자도 있었을 텐데 준원이는 남편의 유전자만 받았나 보다. 약간은 억울한 마음으로 준원이의 얼굴을 찬찬히 뜯어보니 코와 웃을 때 생기는 팔자 주름은 나를 닮았다. 그래도 준원이는 남편과 똑같이 생겼다. 특히 웃을 때의 눈웃음은 아빠의 눈웃음과 정말 똑같다.

나랑 똑같이 생긴 아이가 있다면 어떤 느낌일지 궁금해서 남편에게 물어봤다. 은채도 자기를 닮았지만, 특히 준원이를 보면 본인의 어린 시절의 모습을 보는 것 같아서 신기하다고 했다. 또 다른 자신이 자라는 것 같단다.

아이들이 커가면서 신기하게도 아이들은 나와 남편의 성격과 행동을 닮아가기 시작했다. 아이들은 아빠를 닮아 영화 보는 것을 좋아하고 엄마를 닮아 뮤지컬 공연 보는 것을 좋아한다. 엄마처럼 자기 물건에 대한 애착이 강하고 아빠처럼 물건을 버리는 것을 싫어한다. 아빠를 닮아 운동을 좋아하고 아빠와 엄마를 닮아 승부욕이 있어서 지기 싫어한다.

아이들은 나를 닮아가기도 한다. 외향적인 아빠와는 다르게 아이들은 나처럼 낯가림이 있어 타인이 있는 곳에서는 조용해진다. 우리 아이들은 겁이 많아 새로운 것에 도전하는 것을 어려워하고, 환경이 변하는 것을 싫어하는 데 이 또한 나를 닮았다. 민망하거나 억울하면 왈칵 눈물부터 나는 것도 나를 닮았다.

아이들에게서 나와 닮은 모습이 보일 때마다 나의 어린 시절을 떠올렸다. 어린 시절의 나는 나의 단점들로 충분한 시행착오를 겪었다. 잘못된 행동으로 인한 후회 없이 단점을 고쳤으면 하는 마음에 아이들이 나와 같은 행동을 할 때마다 지적하게 된다. 남편 또한 같은 마음으로 잔소리하게 된다며 자기를 닮은 아이를 키우는 것에 대해 공감했다. 걱정된다는 이유로 어릴 때의 내가 듣기 싫었던 말을 지금의 내가 계속하고 있는 것 같아 미안해졌다.

나를 닮고 남편을 닮았기에 은채, 준원이는 잘 자랄 수 있을 것이다. 아이가 힘들어할 때는 아이들을 닮은 우리가 어려움을 헤쳐 나갈 용기를 줄 수 있을 것이다. 우리는 세상 누구보다 아이들을 잘 이해해 줄 수 있을 것이다.

마음이 아플 정도로 너무 신났다.

(　) 핸드폰[illegible]

2024년 3월 29일 금요일 날씨

일어난 시간 7:00 | 잠드는 시간 9:50

마음이 아플 정도로 너무 신났다. 기분이 좋았다.

나와 남편은 아이에게 언제 휴대폰을 사줘야 하는지에 대해서 오랫동안 고민해 왔다. 휴대폰을 갖고 있을 때와 그렇지 않았을 때의 장단점이 분명해서 섣불리 결정을 내리기 어려웠다. 하지만 요즘의 환경에서는 초등학생에게도 휴대폰이 필요하다는 생각이 들었다.

은채가 7살이 되자 휴대폰을 사 달라고 조르기 시작했다. 초등학생이 되면 사주겠다고 이야기하여도 잊을 만하면 한 번씩 얘기했다. 막연히 조르기만 해서는 안 된다고 생각했는지 은채는 휴대폰이 필요한 이유를 얘기하며 엄마, 아빠를 설득하기 시작했다. 여러 이유 중에서 휴대폰을 가진 자신이 어른처럼 보일 것 같다는 은채의 생각을 전해 들었을 때 휴대폰에 대한 은채의 진심을 알 수 있었다.

많은 고민 끝에 초등학교 입학 후에 제공하는 안심 알리미 휴대폰을 신청하기로 하고, 은채에게 한 달 뒤에 받을 수 있다고 알렸다. 은채는 달력을 보며 휴대폰을 받는 날을 손꼽아 기다렸다.

드디어 그날이 왔다. 개통된 휴대폰을 보고 은채는 내 예상보다 훨씬 더 행복해했다. 간단한 사용법을 알려주고 나니 세상을 다 가진 표정이었다. 할머니, 할아버지, 이모, 이모부, 삼촌의 번호를 저장해놓고는 전화를 걸어 "나 은채야. 나 휴대폰 샀어."라고 여기저기 자랑했다. 정말 감사하게도 가족들은 은채의 전화를 정말 따뜻하고 사랑스럽게 받아주었다.

은채가 한참 동안 휴대폰을 만지더니 자기 방으로 쪼르르 갔다. 슬쩍 보니 공책에 무언가를 쓰고 있었다. 남편이 은채가 쓴 일기를 봐야 할 것 같다고 했다.

"마음이 아플 정도로 너무 신났다."

부모의 반대 속에서 은채가 얼마나 속상했는지, 휴대폰을 받기까지 한 달의 기다림이 얼마나 길게 느껴졌는지, 바라던 바가 이루어진 지금 얼마나 행복한지 한 문장으로 다 느낄 수 있었다.

아이들이 자라는 과정에서 허용과 금지 사이에서 결정해야 하는 순간이 계속 찾아올 것이다. 무조건적 허용 또는 금지가 답이 아님을 알기에 더 많은 고민이 필요하다. 이 과정에서 아이의 마음이 다치지 않도록, 마음이 아플 정도로 너무 신날 수 있도록 현명한 선택을 해야겠다.

새로운 시선

어느 봄날, 네 식구가 벚꽃을 보러 갔다. 분홍색 벚꽃과 그 아래 있는 가족들을 보니 내 마음에도 봄이 온 것 같았다.

아이들이 네잎클로버를 찾아보겠다며 풀밭에 주저앉았다. 나와 남편도 함께 쭈그려 앉아 풀밭을 뒤지기 시작했다.

아이들과 네잎클로버를 찾기 위해 바닥을 열심히 살펴보다가 이전까지의 벚꽃 나들이를 떠올렸다. 분홍색 벚나무와 흩날리는 꽃잎, 그 밑에 있는 가족들의 풍경이 그려졌다. 이제까지 나의 시선은 하늘과 땅 사이 그 어딘가에 머물러 있었다. 하지만 그해 봄날의 나는 바닥을 보고 있었다.

어린 시절 네잎클로버를 찾기 위해 풀밭을 뒤지다 몇 번의 실패를 경험했던 그날 이후 나는 풀밭을 살펴보지 않았다. 낮은 곳보다는 나의

키보다 높은 저 먼 곳을 바라봤고 그곳을 향해 달려가야 했다.

아이와 함께 지내면서 나의 시선은 다시 낮아졌다. 줄지어 가는 개미의 행렬을 쫓아서 개미집의 위치를 찾는 것도, 바닥에 떨어진 나뭇가지 중 가장 길고 튼튼한 것을 주워서 로봇 놀이를 하는 것도, 낙엽을 모아서 새의 둥지를 만드는 것도, 솔방울과 돌을 가지고 주방 놀이를 하는 것도 아이와 함께 낮은 곳을 보았기 때문에 가능했다. 아이들의 눈높이에서 바라보면 단순한 산책도 재미있고 신기한 경험이 됐다.

아이의 손을 잡고 공원을 한 바퀴 도는 것보다 아이와 함께 풀밭을 기어가는 개미를 찾는 것이 더 재미있었다. 먼 곳을 바라보지 않아도, 목표가 없어도 아이들의 눈높이에서 바라보는 세상은 즐겁고 걱정이 없는 편안한 곳이었다.

그래서 가끔은 아이들과 키를 맞춰서 같은 눈높이로 주변을 둘러본다. 아이들이 보고 느끼는 세상을 나도 함께 경험하고 싶다.

새로운 시선으로 삶을 바라볼 수 있게 해줘서 고마워.

반성

7살 은채의 유치원 입학식 날이다.

"엄마, 싫어하는 사람의 눈을 10초 동안 쳐다보면 싫어하는 사람도 좋아져. 그래서 나 오늘 선생님 눈을 10초 동안 쳐다봤어."

낯을 가리는 은채가 새로운 선생님과 친해지기 위해서 나름의 노력을 하는 것 같아 기특했다.

7살이 된 준원이가 새로 알게 된 친구들의 얘기를 자주 해준다.

"오늘 태권도장에서 친구가 정말 고마웠어. 선생님이 내 이름을 몰랐는데 친구가 선생님께 내 이름을 알려줬어."

"유치원에서 새로운 친구랑 놀았어. 그 친구는 잘 몰랐는데 보니까 그림도 잘 그리고 글씨도 잘 쓰는 친구였어."

준원이가 7살이 되면서 새로운 친구들과도 시간을 보내며 관계를

확장하는 방법을 배워가는 것 같다. 친구의 장점을 찾아가며 새로운 친구와 친해지는 준원이가 잘 크고 있다는 생각이 들었다.

"준원이가 친구들의 좋은 점을 찾으면서 친구들과 잘 지내고 있어. 준원아, 지금 잘하고 있어."

잠시 말이 없던 준원이가 얘기했다.

"내 마음이 두근거려. 엄마가 내 심장을 따뜻하게 안아줬어."

아이들의 시선은 따뜻하고 긍정적이다. 나도 우리 아이들처럼 다른 사람을 긍정적으로 바라보고 있는지 반성해 본다.

언제 이렇게 컸을까

어린이집 같은 반 친구가 자기에게

"집에 가!"

라고 말하자

'어? 집에 혼자 가면 위험한데 어떻게 하지?'

라고 3살 은채가 생각했다고 했다.

마냥 어린 줄 알았는데 나름의 방식대로 세상을 바라보는 것 같다. 은채가 보고 들었던 은채의 세상을 얘기해주는데 그게 신기하고 대견해서 한참 동안 들었다.

준원이가 유치원에서 속상했던 일을 얘기해줬다. 그전까지는 유치원에서 했던 놀이를 주로 얘기해줬는데 이제는 어떤 일이 있어서 속상했다고 자기의 감정을 인지하고 말로 표현하기 시작했다. 이렇게 또 한 뼘 자란 준원이다.

내가 코로나 확진 받은 날 아침, 갑작스러운 확진에 정신이 없었다. 열이 나면서도 급한 일을 처리하고 있는 엄마를 두고 등원하려니 은채, 준원이가 마음이 많이 쓰였나 보다. 온종일 집에 혼자 있을 엄마가 심심할 거로 생각한 것 같다. 은채가 집을 나서기 전에 자기 피아노를 치고 있어도 된다고 얘기해줬다. 남편과 아이들을 보내고 누워서 쉬려는데 베개 위에 준원이가 두고 간 로봇이 놓여 있었다. 아이들의 위로 덕분에 나는 금방 괜찮아졌다.

유치원에서 '도전 반찬'이라고 채소 반찬을 먹어볼 수 있도록 급식지도를 한다. 청경채, 버섯, 브로콜리 등의 반찬을 먹고 스티커를 받은 자신이 자랑스러운지 준원이는 매일 도전 반찬 이야기를 해준다.

채소를 먹기 전에 살짝 긴장했다가 먹으면서 생각보다 괜찮아하는 준원이의 모습이, 반찬을 다 먹고 자랑스럽게 식판을 내밀며 선생님께 확인받고 뿌듯해하는 준원이의 모습이 보였다. 내가 가르쳐주지 않아도 자기만의 방식으로 잘 생활하는 것 같아 기특했다.

아빠의 휴대폰을 허락 없이 만지고 있던 은채를 혼냈다. 은채를 혼내는 내 표정이 좋지 않았나 보다.

준원이가

"엄마 마음이 안 좋아?"

라고 물어봤다.

"응. 엄마 마음이 조금 안 좋네."

"그럼 내 마음을 나눠줄게."

하고 꼭 안아준다. 아이의 품 안에서 오늘도 위로받는다.

은채의 독서록을 보았다.

연번	읽은 날짜	책 제목
15	4/4	소피가 화나면 정말정말 [illegible]
한 줄 느낌		소피는 나만에 방식이 정말 좋은 것 같다. 나는 엄마가 안아주면 기분이 풀린다.

내가 언제 은채를 마지막으로 안아줬는지 기억나지 않았다. 내가 준원이에게 위로받는 동안 은채는 혼자서 마음을 달래고 있었겠지.

"엄마 허리 아파서 누웠어?"

"어떻게 알았어?"

"은채는 엄마 좋아하니까 다 알지."

잠을 잘 자지 못해 피곤해하는 아빠에게

"내 무릎 베고 잘래? 나도 캠핑 때 잠을 못 잤는데 아빠 무릎 베고 자니까 잠이 왔어."라고 말해주는 따스한 은채인데 왜 그렇게 혼을 냈을까 싶다.

주변의 어른들이 아이들에게 용돈을 주면, 아이들은 그 용돈을 엄마에게 맡겼다. 언젠가부터 은채가 용돈의 행방을 물어보기 시작하더니 자기 용돈은 자기가 보관하겠다고 선언했다. 할아버지, 할머니께 받은 용돈을 자기 방 서랍에 숨겨놓았다.

은채가 어린이날 선물로 지갑을 샀다. 지갑에 있는 용돈으로 무언가를 살 수 있음을 알게 됐다. 은채에게 지갑이 생긴 기념으로 가족들의 간식을 사달라고 말했다. 은채는 지갑에서 자기 돈을 꺼내어 쓰는 것을 망설였다. 돈을 꺼내어 쓴 만큼 돈이 다시 들어온다고 하자 선뜻 간식을 사줬다. 은채는 자기가 간식을 사주니 다른 사람들이 웃으며 고맙다고 얘기해줘서 기분이 좋았다고 했다.

주말에 아이들이 먹을 간식을 사러 갔다. 이번에도 은채가 준원이의 간식을 사주겠다고 했다. 은채는 편의점에서 2,500원어치 간식을 사고 오만 원권을 꺼냈다. 서툴게 값을 치르고 나서 은채, 준원이가 손을 잡고 자기들끼리 집으로 돌아갔다. 주변을 살피며 걸어가는 아이들의 뒷모습을 하염없이 지켜봤다.

유치원 하원 후 은채를 피아노 학원에 데려다주려고 유치원 앞 횡단보도에서 신호를 기다리고 있었다. 피아노 학원을 같이 다니는 친한 언니들이 유치원 앞까지 와서 은채를 기다리고 있었다.

"은채는 언니들하고 피아노 학원에 가. 엄마는 편의점에 들렀다가 따로 갈게."

하고 아이들을 먼저 보냈는데 언니들과의 동행을 즐거워하는 은채의 뒷모습이 보인다. 나는 괜한 아쉬움에 은채를 계속 보고 있었는데 은채는 언니들과 함께 가는 동안 뒤돌아서 엄마를 찾지 않았다.

저녁을 든든히 먹고 집 근처 초등학교 운동장에 산책하러 갔다. 엄마 아빠를 두고 저 멀리 뛰어가는 은채와 준원이의 뒷모습이 보인다.

언제 저렇게 커버렸을까?

자는 아이들의 발을 만져본다. 내 새끼손가락만 했던 발이 내 손바닥만큼 커졌다. 작은 두 발로 걷고 뛰며 세상을 단단히 버텨내야 하기에 아이들의 보드랍던 발이 단단해졌다. 이 발이 더 크고 딱딱해지면 내 품을 벗어날 것이다. 엄마는 아이가 떠나는 뒷모습을 지켜볼 준비가 아직 되지 않았는데 그날이 멀지 않은 것 같다.

친구랑 놀고 싶어

"엄마, 우리 집에 놀러 오라고 내가 친구한테 엄마 휴대폰 번호 알려줬어."

7살 은채가 드디어 적극적으로 움직였다.

우리 아이들이 주말에 함께 만나는 친구들은 엄마 또는 아빠 친구의 아이들이다. 사는 동네도, 다니는 유치원도 다른 친구들과 놀아야 한다. 은채, 준원이는 이 친구들을 만나면 처음에는 다소 어색해하다가 친해지고 나면 즐겁게 놀다 온다.

공동육아가 반복될수록 아이들은 어린이집이나 유치원에서 만나는 친구들과도 집에서 같이 놀고 싶다는 생각을 한 것 같다. 5살 무렵부터 은채가 유치원에서 친한 친구들이 우리 집에 놀러 왔으면 좋겠다고 말했다. 그럴 때마다 나는 부모님의 연락처를 몰라서 함께 놀 수 없다고 은채를 달랬다.

실제로도 아이들 친구들의 부모님과 얘기할 기회가 없었다. 나와 남편이 일을 해서 아이들의 등·하원은 주로 시어머니가 해주셨다. 그래서 내가 친구들의 부모님을 만나거나 연락할 일이 없었다. 연락처를 알더라도 모르는 부모님께 먼저 말을 걸어서 주말에 만나자고 말하는 것은 낯가림이 심한 나에게는 큰 용기가 있어야 하는 일이었다.

이런 사정을 모르는 은채는 부모님의 연락처를 몰라서 주말에 만나지 못한다는 말을 믿고 있었다. 그래서 내 휴대전화 번호를 적어 친구에게 넘긴 것이다. 은채가 친구랑 함께 놀고 싶은 마음이 간절했나 보다. 은채가 이렇게 적극적으로 나서니 이젠 내가 움직일 차례였다.

유치원 학부모 공개 수업이 있던 날, 나는 용기 내어 그 친구의 엄마에게 먼저 말을 걸었다. 서로의 연락처를 교환했고 드디어 친구가 우리 집에 오기로 했다.

약속이 잡히자, 은채는 정말 신이 났다. 친구가 놀러 올 주말을 손꼽아 기다렸다. 집에 놀러 온 친구와 은채는 재미있게 놀았다. 사소한 말과 행동에도 까르르 웃었다. 내가 불편하다는 이유로 아이의 마음을 외면했던 것은 아닌가 싶어 미안하기도 했다.

"엄마, 친구가 자기 집에 놀러 오라고 나한테 초대장 줬어."

이번엔 7살 준원이다.

나의 세상을 알려줄게

어린 시절의 나는 농촌과 어촌이 함께 있는 제주도의 바닷가 동네에서 자랐다. 부모님과 친척들이 농사를 짓다 보니 밭은 나에게 낯선 곳이 아니다. 어릴 때 부모님을 따라 밭이나 귤 선과장에 가서 일을 도와드린 적도 있다. 하지만 그 시간이 좋기만 한 건 아니어서 일하지 않으려고 공부하는 척 문제지를 펴기도 했다.

우리 아이들은 제주 시내에서 자란다. 집 주변에는 건물과 자동차가 많다. 아이들이 집 근처에서 흙을 볼 수 있는 곳은 집 앞 잔디밭이나 공원뿐이다.

친정에 가면 나에게 익숙한 것을 아이들은 낯설게 느낀다. 밭은 우리 아이들이 재밌는 경험을 할 수 있는 곳이 됐다. 나에게는 당연한 것

들인데 은채, 준원이가 신기해하는 걸 보면서 내 어린 시절을 하나씩 알려주고 싶었다.

아이들은 밭에서 콘테나 나르는 운반기를 타고, 돌을 줍거나 잡초를 손으로 뽑으며 놀았다. 가위를 들고 나무에서 귤을 따 먹고 할머니가 운전하는 스쿠터 뒤에 타서 마을을 한 바퀴 돌고 오기도 했다.

친정엄마가 귤을 포장해야 한다고 도와달라고 했던 날, 은채가 어릴 때의 나처럼 할머니의 일을 도와줬다. 귤에 스티커를 붙이는 작업을 하는데, 은채가 옆에서 같이 작업하던 이모에게 스티커를 제대로 붙이지 않는다고 잔소리했다. 일 끝나고 먹는 초코파이가 어찌나 달콤한지 은채는 순식간에 초코파이를 다 먹어버렸다. 그런 은채를 보며 선과장에서 포장된 귤 상자를 줄 맞춰서 정리하고 짜장면을 먹던 어릴 때의 내 모습이 떠올랐다.

어린 나는 할아버지의 경운기와 아빠의 1톤 트럭 뒤에 올라갔다가 뛰어내리며 놀았는데 은채와 준원이는 경운기나 트럭을 탈 일이 없다. 우리 아이들이 처음으로 1톤 트럭을 탔을 때, 트럭의 소리와 승차감을 신기해하는 아이들의 표정을 보고 내가 더 기분이 좋았다.

나에게는 당연한 기억들이 누군가에게는 새로울 수 있음을 은채, 준원이를 통해 알게 됐다. 나의 어린 시절의 경험은 누구나 가질 수 있는 것이 아닌 나만의 특별한 것임을. 그렇기에 더 소중히 아끼고 사랑해야 함을 아이들이 가르쳐줬다. 그래서 아이를 자주 친정으로 데리고 간다. 어릴 때의 나처럼 놀면서 나의 특별하고 소중한 추억들을 아이들과 함께 간직하고 싶다.

은채의 이갈이

2023년 8월, 은채가 처음으로 이를 뽑았다. 치아가 흔들리는 것도, 이를 뽑는 것도 처음인 은채는 잔뜩 겁이 났다. 흔들리던 아랫니 두 개를 뽑았다. 은채는 빠진 유치를 넣은 치아 모양 목걸이를 목에 걸고, 거즈를 입에 문 채로 계속 눈물을 흘리고 있었다.

은채의 슬픔과는 반대로 나는 은채가 잘 성장하는 것 같아 너무 기특했다. 영구치를 가진 어린이가 되니 벌써 다 키운 것 같았다. 은채의 이갈이 소식을 들은 이모가

"은채야, 어른이 된 것을 축하해!"

라고 하자

"엄마랑 이모랑 똑같은 말을 했어."

라고 말하며 어른이 된 자신을 뿌듯해했다.

2023년 11월, 은채의 윗니 한 개와 아랫니 한 개가 흔들렸다. 윗니를 뽑으면 너무 귀여워질 예정이라 뽑기 전부터 기대가 됐다. 이를 뽑아서 아프다고 눈물을 매단 채로 거즈를 물고 있는 은채도, 이가 빠진 자기 모습을 확인하고 못생겼다고 말하는 은채도 정말 귀여웠다. 앞니 빠진 모습이 귀여워 볼 때마다 자꾸 웃는 나를 보고 화를 내는 은채는 더욱 사랑스러웠다.

2023년 12월, 나머지 윗니와 아랫니를 뽑았다. 윗니 두 개가 없다니 이건 예전보다 더 귀여워질 예정이다. 윗니 두 개가 없는 은채는 엄청 귀여웠다. 이가 없는 본인의 모습을 받아들이기 시작했는지 자꾸 잇몸을 드러내며 웃는다.

은채가 발레 학원에서 수업 중에 앞으로 철퍼덕 넘어졌다. 혀를 씹을 뻔했는데 앞니가 없어서 혀를 씹지 않아 괜찮았단다. 다행이다.

앞니가 없는 은채가 사과를 먹는데 불편해했다. 음식을 자꾸 옆으로 보내어 어금니로 잘라 먹었다. 앞니가 나오기 시작하자 은채의 귀여움이 조금씩 사라지는 것 같아 아쉽다.

준원이는 이를 뽑고 관심을 받는 누나가 부러웠는지 자기 이도 흔들리냐고 물어봤다.

3장. 엄마 반성문

20개월 차이 연년생 남매에게

미안한 마음을 담아 쓴 엄마 반성문

내 손을 놓기 전에

나는 일과 삶의 분리가 잘 안되는 사람이다. 내 에너지를 많이 쏟으며 일하고 퇴근 후에도 일과 관련된 생각을 계속한다. 그래서 저녁이 되면 에너지가 많이 소진됐다는 생각이 들 때가 있다.

이런 나의 성향은 아이가 태어나고 나니 문제가 됐다. 퇴근 후에 남은 에너지가 없는데 아이를 돌보려니 여간 힘든 게 아니었다. 게다가 기본적으로 해야 하는 집안일들이 기다리고 있어 내 시간을 어떻게 나눠 써야 할지 많이 고민했다. 일도, 육아도, 집안일도 잘하고 싶은데 그렇다고 잠을 포기하지는 못해서 나는 항상 시간이 부족했고 마음이 조급했다.

게다가 집안일을 완벽하게 해내고 싶다는 생각은 나를 더욱 옭아맸다. 빨래, 청소, 설거지, 애들 샤워 등 해야 할 일을 저녁 시간에 쪼개서

실행하다 보니 언젠가부터 아이들은 뒷전으로 밀려났다. 아이들이 남편과 놀고 있으니 나는 내 할 일을 하고 있어도 된다는 생각이 들었다. 나는 아이들과의 대화와 놀이보다는 '빨리 밥 먹자, 씻자, 자자'라는 말만 하는 엄마였다.

이런 나를 아이들은 항상 이해해 주고 배려해 주었다. 유난히 힘들게 일하고 퇴근한 날, 평소보다 더 지쳐서 가만히 있으니 아이들이 다가왔다.

"엄마 오늘 너무 힘들어서 좀만 쉴게."

라는 말에 은채, 준원이가 나를 꼭 안아주었다. 그 품이 너무 따뜻해서 위로받는 것 같았다.

"오늘 엄마가 일하는데 엄마 뜻대로 잘 안돼서 너무 힘들었어. 그런데 은채, 준원이가 안아주니까 엄마가 힘이 나."

"엄마 나 친구한테 우리 엄마 대단하다고 말했어. 우리 엄마는 머리도 잘 묶어 주고 화도 잘 안 내고 얼굴도 예쁘다고 말했어."

은채를 꼭 안아주었다. 나를 최고라고 생각해 주는 아이가 있는데 내가 못 할 게 무엇이 있을까 싶었다. 아이들 덕분에 남은 하루도 힘내서 마무리할 수 있었다.

어느 날, 여느 때처럼 퇴근 후 종종거리며 집안일을 마쳤다. 할 일이 더 없는지 집안을 살피다가 거실에서 놀고 있는 아이들을 보고 순간 놀랐다. 내가 해야 할 일의 목록 중에서 아이들과 놀거나 정서적으로 교류하는 일은 없었다. 시간이 없고 피곤하다는 핑계로 나에게 가장 소중한 아이들을 제일 뒷전으로 미룬 것이다.

아이들이 유치원에서 했던 재밌는 놀이를 엄마랑 같이하고 싶다고 얘기할 때가 있다.

"그래 같이 놀자. 어떻게 하는 건데?"

라고 말하며 놀이에 참여하자 신나고 즐거운 표정을 짓는 아이들을 보며 미안했던 기억이 떠올랐다.

아이들은 항상 나를 보면서 나와 함께 하기를 바랐다. 그런 아이들의 시선을 무시하고 다른 곳을 바라보는 건 바로 나였다. 이러다가 나중에는 아이들이 포기해서 나를 보지 않고 나와 함께 하기를 원하지 않을까 두려웠다.

그래서 아이의 초등학교 입학을 핑계로 6개월 휴직을 결정했다. 일하지 않으니 시간적, 심적 여유가 생겨서 아이들에게 시간을 더 많이 쏟는 엄마가 될 수 있을 것 같았다.

휴직 기간 중 하루는 은채와 준원이가 놀다가 다퉜다. 속상하고 억울한 마음에 엉엉 울며 나에게 하소연하는 아이들의 모습이 귀엽게 느

껴졌다. 동생과 화해한 은채가 나에게 살짝 얘기했다.

"아까 내가 준원이랑 싸웠을 때 엄마가 화내지 않고 다정하게 말해 줘서 좋았어."

일을 쉬고 있는 동안의 나는 신체적, 정신적으로 여유가 있기에 아이들의 다툼이 싫지 않았다. 하지만 퇴근 후의 나라면, 지쳐 있는 상태에서 아이들이 이렇게 싸웠다면 나는 아이들의 울음을 받아들일 수 없었을 것이다.

결국, 아이들에게 다가가는 것도, 아이들을 대하는 태도도 내가 결정하는 것이었다. 피곤함을 이유로 아이들을 감정적으로 대하지 않도록, 이로 인해 아이들이 상처받지 않도록 나는 여유를 가져야 했다.

잠든 아이들을 한참 쳐다봤다. 아이들은 아기 때와 똑같은 얼굴로 곤히 자고 있다. 이제는 내 품에 다 들어오지 못할 정도로 훌쩍 커버렸다. 이 아이들이 내 손을 놓기 전에 내가 먼저 다가가야겠다.

불안한 엄마

아이를 키우는 건, 특히 첫 아이를 키우는 건 나에게 너무 서툴렀고 그래서 불안했다. 아이가 잘 크고 있는지, 이렇게 키우는 게 맞는지 모르니 자꾸 남과 비교하게 됐다. 아이가 자는 동안 같은 개월 수인 다른 아이의 발달을 찾아보고 우리 아이가 빠르면 위안을, 우리 아이가 느리면 불안을 얻기도 했다.

은채와의 첫 1년은 내가 엄마로서 불안함을 내려놓기 위해 노력했던 시기이다. 육아는 처음이라 내가 은채를 잘 키우고 있는지 확신할 수 없었다. 그래서 은채가 먹는 분유량과 잠자는 시간, 기저귀를 간 횟수 등을 기록하며 숫자를 통해서 육아를 잘하고 있음을 확인했다.

은채가 돌이 지나고 내가 복직하면서 시어머니가 은채를 봐주셨다. 그때, 기록하지 않아도 잘 자라는 은채를 보며 육아에 대한 불안을 낮

출 수 있었다.

그래서 준원이는 상대적으로 수월하게 키운 것 같다. 분유를 덜 먹어도, 잠을 잘 못자도 아이는 잘 자랄 수 있다는 걸 은채가 알려줬기 때문이다.

은채가 5살이 되자 이번에는 학습에 대한 불안이 시작됐다. 은채와 비슷한 또래의 아이가 한글, 영어를 시작했다는 얘기가 들려왔다. 엄마표 교육을 하고 있다는 아이, 한글을 읽고 쓰는 5살 아이, 영어 유치원에 다니는 아이들의 얘기를 들으면서 학습을 시작할 시기를 고민했다. 우리 아이가 뒤처지고 있는 것 같고 아이 교육에 아무 생각이 없는 내가 무책임하게 느껴졌다. 특히 영어는 어릴 때부터 노출해야 한다는데 나는 우리 아이에게 그러한 노력조차 하지 않았다. 은채와 같은 나이인데 한글과 영어를 자유롭게 말하고 읽고 쓰는 아이를 보며 잘할 수 있는 은채를 내 무관심으로 내버려 두고 있는 것은 아닌지 불안해졌다.

마음이 조급해지고 불안할 때마다 남편과 많은 대화를 했다. 다른 아이의 사례를 보며 우리는 어떻게 해야 하는 건지 고민했다.

아이를 낳기 전 우리는 좋은 부모가 되어 아이를 잘 키우자고 다짐했다. 그 다짐을 떠올리며 아이가 바르게 성장할 수 있는 좋은 방향이 무엇인지를 계속 찾아봤다.

남편은 대화를 마무리할 때마다

"우리는 잘하고 있어. 너는 좋은 엄마야. 걱정하지 마."

라고 말하며 나를 안심시켜 줬다.

은채와 준원이는 자기의 속도에 맞춰서 잘 자라고 있다. 남과 비교하며 내가 조급해지거나 불안해할 이유가 전혀 없었다. 그 자체로도 사랑스러운 아이들이니 지금처럼 예쁘게 클 수 있도록 뒤에서 지켜보면 되는 것이다.

앞으로도 내가 남과 비교하지 않고 주관을 갖고 아이를 키우고 있기를, 잘못된 신념으로 아이를 망치지 않기를 바란다.

아이의 독립

은채가 운동화 끈을 묶어서 신는 운동화를 사겠다고 했다. 리본 묶는 법을 배워서라도 이 신발을 신겠다고 했다. 은채는 여러 번 연습하며 운동화 끈의 리본을 묶는 데 성공했다. 은채는 할 수 있는데 엄마가 몰라줬다.

생각해 보면 아이들의 처음은 항상 아빠가 책임지고 있었다. 스스로 할 수 있게 기회를 주는 사람은 남편이었고, 나는 나중에야 아이들이 이런 것도 할 수 있냐고 놀랐던 것 같다. 나는 내가 아이들에게 무언가를 해주는 것이 당연한 사람인데 남편이 이런 나로부터 아이들을 독립시켜 주고 있었다. 나는 아이들에게 무언가를 시작할 수 있게 도와주는 사람이 아니었다.

아이들이 유치원에 다니기 시작하면서 스스로 무언가를 하겠다는 말을 종종 했다. 씻기, 양치하기, 로션 바르기 등 아이들이 혼자서도 다 할 수 있는 일인데 아직 야무지지 못한 아이의 손이라는 생각에 계속 내가 해줬다.

엄마의 퇴근이 늦었던 날, 아빠가 "너희들끼리 해봐."라며 아이들에게 목욕을 맡겼다. 고사리손으로 서로의 등을 밀어주는 그 시간이 재미있었던 모양이다. 다음 날 엄마에게 자기들끼리만 샤워하겠다고 말했다. 엄마의 불안함을 본 아빠가 대신 허락해 줬다. 아빠는 잘하고 있는지 보려는 엄마를 소파에 꾹 눌러 앉혔다.

아침마다 아이들의 등원 준비를 하는 게 너무 힘들었다. 나의 출근 준비도 해야 하는데 아이들을 씻기고 먹이고 입히려니 시간이 너무 오래 걸렸다. 하루는 아이들에게 스스로 챙겨보라고 했다. 아이들은 엄마가 꺼내준 옷 대신 자기가 입고 싶은 옷을 꺼내어 입고 세수하고 양치했다. 고양이 세수를 하고 눈곱이 달려있었지만, 아침 시간이 엄청나게 편해졌다. 아이들이 할 수 있는 일을 자꾸만 내가 대신 해주려 하니 서로에게 힘들었던 시간이었다. 아이들의 처음을 드디어 내가 시작했다.

은채가 혼자서 피아노 학원에서 집까지 걸어오겠다고 했다. 도보로 5분도 안 되는 거리라 할 수 있을 것 같은데 인도가 없고 차가 다니는 골목길이어서 불안한 마음에 자꾸 안 된다고만 했다.

결국 아빠가 은채의 독립을 허락했다. 혼자 걸어오게 한 것이다. 아빠와 통화하며 씩씩하게 집으로 걸어온 은채가 너무 기특했다. 환한 얼굴로 자기 자신을 뿌듯해했던 은채의 표정을 기억해야겠다.

처음이라 서툴 수는 있지만, 아이들은 스스로 무언가를 도전하는 과정에서 성취감을 배운다. 그리고 작은 성공의 경험이 다음 도전을 할 수 있게 하는 원동력이 된다.

아이의 도전과 독립을 막았던 건 엄마의 불안함이었다. 아이가 무엇이든 할 수 있게 뒤에서 지켜봐 주는 게 엄마의 역할인데 나는 아이가 어리다는 이유로 내가 대신해주는 게 많았다. 할 수 있는 아이를 못 한다고 믿지 못한 건 엄마였다.

내가…. 아이를 불신하고 있었다.

해결사가 아닌 엄마

우리 아이가 학교나 학원에서도 괜찮은 아이가 되기를 바라는 마음에 잔소리하게 된다. 아이의 삐뚤빼뚤한 글씨체를 지적하고, 귀찮다고 대충 마무리하려는 아이에게 끝까지 해야 하는 이유를 설명하며 완성을 강요하기도 한다. 은채와 준원이가 싸울 때면 방금의 잘못된 행동으로 인해 친구들 사이에서 발생할 수 있는 문제를 얘기하며 훈육이 아닌 잔소리를 할 때도 있었다.

아이들이 커가면서 친구들과 관계를 맺고 그 안에서 갈등이 생기는 경우가 생겼다. 속상함을 얘기하는 아이들에게 나는 그 문제에 대한 해결책을 찾아 주며 대화를 끝낼 때가 많았다.

하루는 은채가 유치원에서 친구들과 속상한 일이 있었다고 얘기했다. 은채의 얘기를 들으며 이 상황에서 어떤 해결 방법이 있을지 생각

했다. 은채 얘기가 끝나자

"그래? 은채 속상했겠다."라고 말하고 그다음 말을 이어가려는데 은채가 편안한 표정으로 거실로 갔다.

은채가 엄마에게 원한 건 문제를 해결해 주는 게 아니었다. 속상한 마음에 대한 엄마의 위로와 공감이었다.

이 일이 있고 난 후 아이들이 나에게 속상한 일을 얘기하면 그 마음에 공감해 주고 위로해 준다. 신기하게 해결 방법을 더 얘기하지 않아도 아이들은 충분히 마음이 풀린다. 엄마는 많은 말을 하기보다는 아이가 힘들 때 꼭 안아주면 되는 것 같다.

4장. 행복한 순간

잊고 싶지 않아 기록하는

너희와 함께해서 행복한 순간

취미를 공유하는 것

남편은 운동을 좋아한다. 아이가 태어나기 전부터 아이를 데리고 함께 운동할 상상을 하며 행복해했다. 아이가 태어나고 걸어 다닐 무렵

부터 아이에게 배구하는 방법을 가르치더니 배구대회가 열리면 함께 관람하러 가고, 체육관에 가서 함께 배구를 연습한다. 남편은 자기가 좋아하는 것을 아이와 함께하고 싶은 마음이라고 했다.

반면 나는 취미가 없는 사람이었다. 공부나 일처럼 내가 해야 할 일이 있는데 취미 생활을 하는 것이 시간 낭비 혹은 사치처럼 느껴졌기 때문이다. 그래서 취미를 가져야 한다는 것의 필요성을 느끼지 못했다.

아이를 낳고 일을 병행하면서 나는 소진되고 있었다. 내 시간이 간절했다. 그러나 정작 시간이 주어져도 무엇을 해야 할지 몰라서 멍하니 있었다. 엄마로서 아이들을 위해 살고 있으니 나 자신을 위해서도 내가 좋아하는 것을 찾을 때가 됐다. 문득 고등학생 때 뮤지컬을 관람했던 기억이 떠올랐다. 공연의 내용은 기억나지 않지만, 공연을 보는 내내, 보고 나서도 행복해했던 기억이 있다. 그 이후에도 뮤지컬의 유명한 장면을 찾아보고 가끔은 공연장에 가서 뮤지컬을 관람했다. 배우들이 노래를 잘 부르고 춤을 잘 추는 것이 부러웠고, 하나의 작품을 위해 여러 사람이 연습하고 공연하는 과정을 상상하는 것도 재미있었다. 나는 뮤지컬을 보는 것을 좋아하는 사람이었다.

내가 좋아하는 취미를 찾았으니, 이제는 아이들과 취미를 공유하고 싶었다. 은채가 3살 때 본 뽀로로 뮤지컬을 시작으로 번개맨, 시크릿 쥬쥬, 티니핑, 타요, 고고 다이노, 신비아파트 등 뮤지컬 공연을 열심히 보러 다녔다. 처음에는 공연을 보기 힘들어하던 아이들도 시간이 지날수록 공연의 내용을 이해하고 집중하는 모습이 보였다.

나는 아이들과 공연장에 함께 가는 것이 좋다. 나와 아이들은 공연장에 들어가 무대를 보고 공연의 내용을 상상하며 들뜬 분위기를 즐기고, 암전되면 공연이 시작되기 직전의 설렘을 느낀다. 공연 중에는 배우들과 함께 웃고, 공연이 끝난 후에는 관련 영상들을 찾아보며 공연의 여운을 느낀다.

나의 취미를 아이와 공유하는 것은 즐거운 일이었다. 내가 좋아하는 것을 내가 사랑하는 아이들이 재밌어하는 모습을 보는 것이 좋았다. 취미를 공유하는 것은 엄마와 아이가 같은 기억과 감정을 공유하는 것이었다. 앞으로 함께 할 수 있는 더 많은 취미를 만들어야겠다.

엄마가 좋아, 아빠가 좋아?

"엄마가 좋아, 아빠가 좋아?"

라는 질문은 누구나 다 들어봤을 것이다. 어린 시절의 나는 이 질문을 들었을 때 대답하기 곤란해서 부모님 눈치를 봤던 기억이 있다. 내가 어느 정도 커서

"엄마, 아빠 다 좋아."

라고 대답하자 주변에 있던 어른들이 실망하는 눈빛을 띠며 더는 그 질문을 하지 않았다.

내 아이가 태어나자 역시나 내 아이에게도 같은 질문을 하는 사람이 있었다. 이상하게도 이 질문을 했을 때 내 아이가 "엄마가 좋아"라고 답하기를 기다리게 됐다. 아이의 대답으로 내 사랑이 보답받는 기분이었다.

누가 좋다는 자기의 답변으로 엄마 아빠가 서운해할 수 있음을 알게 된 은채는 이 질문에 대한 답변을 곤란해하기 시작했다. 아이가 그만큼 성장한 것 같아 기특했다.

준원이는 이 질문을 받았을 때 난감해하지 않도록 가르쳤다.

"준원아, 세상에서 제일 예쁜 사람은 누구야?"

"엄마"

"준원이는 누구 아들이야?"

"엄마"

"준원이가 세상에서 제일 사랑하는 사람은 누구야?"

"엄마!"

어느 날 은채가 물어봤다.

"엄마는 내가 좋아, 준원이가 좋아?"

누구 하나 고르기 힘든 질문이다. 아이들의 난감함이 이해되는 순간이었다. 나의 대답으로 아이들이 상처받지는 않을지, 나의 사랑이 제대로 전달되지는 않을지 걱정됐다. 약간의 망설임 끝에 대답했다.

"엄마는 은채, 준원이 둘 다 정말 좋아. 세상에서 제일 사랑해."

라고 대답했지만, 은채는 실망한 기색이다.

은채가 또 물어봤다.

"엄마는 은채가 좋아, 준원이가 좋아?"

이번에는 준원이가 듣지 못하도록 귓속말로 대답했다.

"엄마는 은채가 제일 좋아."

나의 대답에 은채는 표정이 환해지면서 행복해했다. 진작 이렇게 대답할 걸 그랬나 싶었다.

이 모습을 본 준원이가 물었다.

"엄마, 내가 좋아 아니면 누나가 좋아?"

은채가 듣지 못하게 아주 작은 목소리로

"엄마는 준원이가 좋아."

라고 대답했다.

내 말이 끝나자마자

"엄마 준원이가 좋다고 말했지! 다 들었어. 전에는 내가 좋다며!"

라고 말하는 은채다.

은채가 서운해할까 봐, 또 준원이가 서운해할까 봐 나는 번갈아 가며 사랑한다고 말했다.

나는 아이들에게 가끔 엄마, 아빠 중에서 누가 좋은지 물어보고 싶다. 그리고 "엄마가 좋아"라고 답변을 듣고 싶다. 그 한마디로 내가 아이들에게 사랑받고 있음을 확인하고 싶다.

나의 아빠 이야기

내가 20대이던 어느 날 아빠가 아프다고 말했다. 괜찮은 줄 알았는데 심각한 상태였다. 아빠가 없는 세상을 생각조차 해본 적이 없는 나는 이 사실을 받아들일 수 없었다. 아빠와 가족들의 간절한 기도와 노력에도 불구하고 아빠는 몇 달 뒤 먼 길을 떠나셨다.

내가 중학생, 고등학생일 때 아빠는 항상 나를 위해 기다려 주셨다. 도서관에서, 학교에서 공부하다가 데리러 와달라고 하면 귀찮은 기색 없이 와 주셨다. 온종일 일을 하시고 밤 11시까지 기다리느라 피곤하셨을 텐데 항상 선뜻 데리러 와 주셨다. 도서관에서 공부를 마치고 빵집으로 가서 마음껏 빵을 골라 야식으로 먹는 게 우리의 도서관 루틴이었다. 추운 겨울날 오들오들 떨면서 차에 타는 나를 보고 다음 날부터는 미리 히터를 틀어놔서 내가 따뜻한 차에 탈 수 있게 해준 아빠였다.

그런 아빠가 이제 이 세상에 없다.

아빠가 돌아가시고 나는 결혼을 했다. 밥을 먹다가도, 길을 가다가도 생각나는 아빠의 모습을 남편에게 참 많이도 얘기했다. 한 번도 뵌 적 없는 장인어른이지만 남편은 고맙게도 내 얘기들을 재밌게, 같이 그리워하며 들어주었다.

"이런 말 하면 어떻게 생각할지 모르겠지만 나도 장인어른이 보고 싶어. 장인어른이 계셨으면 참 재밌었을 텐데."

라는 남편의 말이 한동안 마음에 남아 있었다.

아이를 낳고 나니 아이들을 유독 좋아했던 아빠 생각이 더 많이 난다. 아빠가 계셨으면 우리 아이들을 참 많이 예뻐해 주셨을 모습이 눈에 선하다. 아이 손을 잡고 동네를 돌아다니며 자랑하고, 아이들에게 "대가리, 둑지, 동무릎, 발"이라고 노래를 불러 주고, 누구보다 큰 목소리와 환한 얼굴로 아이들을 반겨주셨을 우리 아빠.

하루는 은채가 물었다.

"엄마는 할아버지 오랜만에 만나면 말하기 부끄러워서 할 말이 없지 않을까?"

"아니! 엄마는 할아버지한테 하고 싶은 말이 너무 많아. 할머니랑 이모, 삼촌이 어떻게 지내는지도 말해야 하고, 아빠가 얼마나 좋은 사람인지도 말해야 하고, 은채랑 준원이가 얼마나 귀엽고 사랑스러운지도 말해야 하고. 할아버지한테 다 말해야 해."

시간이 없다면 짧게라도 아빠한테 꼭 말해주고 싶다.

아빠 딸 지금 행복하게 잘 지내고 있어.

그리고 보고 싶어.

이모, 삼촌

나는 여동생, 남동생이 있다. 내가 아이를 낳으면서 동생들은 이모, 삼촌이 됐다. 내가 엄마가 처음인 것처럼 동생들도 이모, 삼촌이 처음일 텐데 동생들은 처음이 아닌 것처럼 너무나도 조카들을 사랑해 주고 있다.

몇 주 만에 집에 온 남동생이 은채와 준원이가 노는 것을 보다가 갑자기 아이들이 귀엽다는 듯 웃었다. 그러고는

"내가 봐도 은채, 준원이가 너무 예쁜데, 누나는 얼마나 예뻐?"

라고 묻는다. 조카들과 다정하게 얘기하는 남동생을 볼 때마다 얘가 이렇게 애정 표현이 많은 아이였던가 가끔 신기할 때가 있다.

은채, 준원이는 삼촌을 보면 안아달라고 한다. 그러면 삼촌은 큰 키를 활용해서 아이를 번쩍 들어 천장까지 올려준다. 이젠 우리 애들이

커서 무거운데 삼촌한테는 아직 가벼운가 보다.

"누나, 나는 부모와는 달리 책임 없는 쾌락이야. 아이들의 귀여운 모습만 보니까 좋아."

라고 말하는 남동생이다.

여동생이 100일쯤 된 은채가 뒤집기를 해보겠다고 낑낑대는 영상을 보다가 탄식하며 말했다.

"100일 된 은채도 뒤집기를 해보겠다고 저렇게 열심히 하는데, 나도 열심히 살아야겠다."

20개월 뒤, 준원이가 뒤집기를 시도할 때 이모는 같은 반성을 또 했다.

태권도 심사를 통과한 준원이가 기분이 좋았는지 이모한테 전화하겠다고 했다. 준원이의 자랑을 듣던 이모가

"태권도 가기 전에 뭐 했어?"

라고 물으니, 준원이는 색종이로 민들레를 접었다고 했다. 그러면서 민들레꽃을 접는 방법을 한참 설명했다. 준원이에게는 중요하지만, 어른들에게는 사소할 수도 있는 이야기들을 이모는 한참 들어줬다.

'오늘 뭐 했어?'라는 질문에 자기 주변의 어른들은 '부장님이 뭔가를 시켰는데 그게 잘 안된다'라는 등의 힘든 얘기를 주로 하는데, 민

들레꽃을 접은 아이의 순수함이 여동생에게는 좋았다고 했다. 그래서 준원이의 얘기를 기분 좋게 들었다고 했다.

휴대폰이 생긴 은채는 이모, 삼촌과 자주 연락한다. 매일 보지 못하는 이모, 삼촌과 편하게 연락할 수 있는 게 좋은가보다.

동생들이 은채, 준원이를 챙겨주는 것을 나와 남편은 항상 감사하게 생각한다. 부모만큼 조카를 사랑해 주는 이모, 삼촌이 있음이 부럽기도 하다. 동생들이 은채, 준원이에게 주는 사랑을 나도 미래의 조카들에게 돌려주고 싶어서 지금의 사랑을 하나씩 저장해두고 있다.

크리스마스

내가 어릴 때 크리스마스가 되면 산타할아버지가 매년 다녀가셨다. 크리스마스 전날에 나는 올해의 선물은 무엇일까 기대하며 오지 않는 잠을 청했다. 아침에 일어났을 때 머리맡에 놓여있는 선물을 보고 1년 동안 나는 착한 아이였음을 확인받는 그 순간이 정말 행복했다. 한 해는 크리스마스 날 아침에 일어났는데 머리맡에 선물이 없었다. 나와 동생은 선물이 없다는 좌절감에 대성통곡을 했고, 부모님이 당황해하면서 산타할아버지가 바쁘셔서 오늘 말고 내일 오실 거라고 달래주셨다. 다음 날 아침 머리맡에 선물이 놓여있었지만, 서운함은 쉬이 가시지 않았다.

초등학교 4학년쯤부터는 빨간 옷을 입은 산타할아버지가 정말 우리 집에 오는 것은 아니라고 산타할아버지의 정체를 믿지 않았던 것 같다.

엄마가 옷장 깊숙이 숨겨둔 선물을 우연히 발견했고 며칠 뒤 크리스마스 아침에 그 선물이 내 머리맡에 놓여있었다. 하지만 그때까지만 하더라도 의심보다는 확신이 옅어지는 수준이었다. 초등학교 6학년 때의 크리스마스가 지난 며칠 뒤, 어른들의 대화 옆에 앉아있던 나는 '아빠가 매년 아이들의 크리스마스 선물을 챙겨주는 걸 보면 정말 다정하신 분'이라는 말을 듣고 산타할아버지가 아빠라는 사실에 입이 떡 벌어졌다. 당연한 사실을 6학년이 되어서야 알게 된 나를 보며 어른들도 같이 당황하셨다. 그렇게 나의 크리스마스는 끝이 났다.

아이를 낳고 나서 잊고 있던 크리스마스의 기억이 되살아났다. 내가 크리스마스에 느꼈던 행복함을 아이에게도 고스란히 물려주고 싶었다.

12월 초부터 아이들에게 은밀하게 물어본다.

"은채야, 준원아, 산타할아버지께 무슨 선물 받고 싶어?"

산타할아버지를 대신해서 아이들이 원하는 선물을 주문한다. 그리고 아이들이 미리 선물을 확인하지 못하도록 꼭꼭 숨겨둔다.

12월 24일 밤, 크리스마스 선물이 기대되어 잠이 오지 않는다는 아이들을 달래가며 재운다. 잠든 아이의 머리맡에 포장된 선물을 놓으면서 다음날 아이들의 모습을 상상한다.

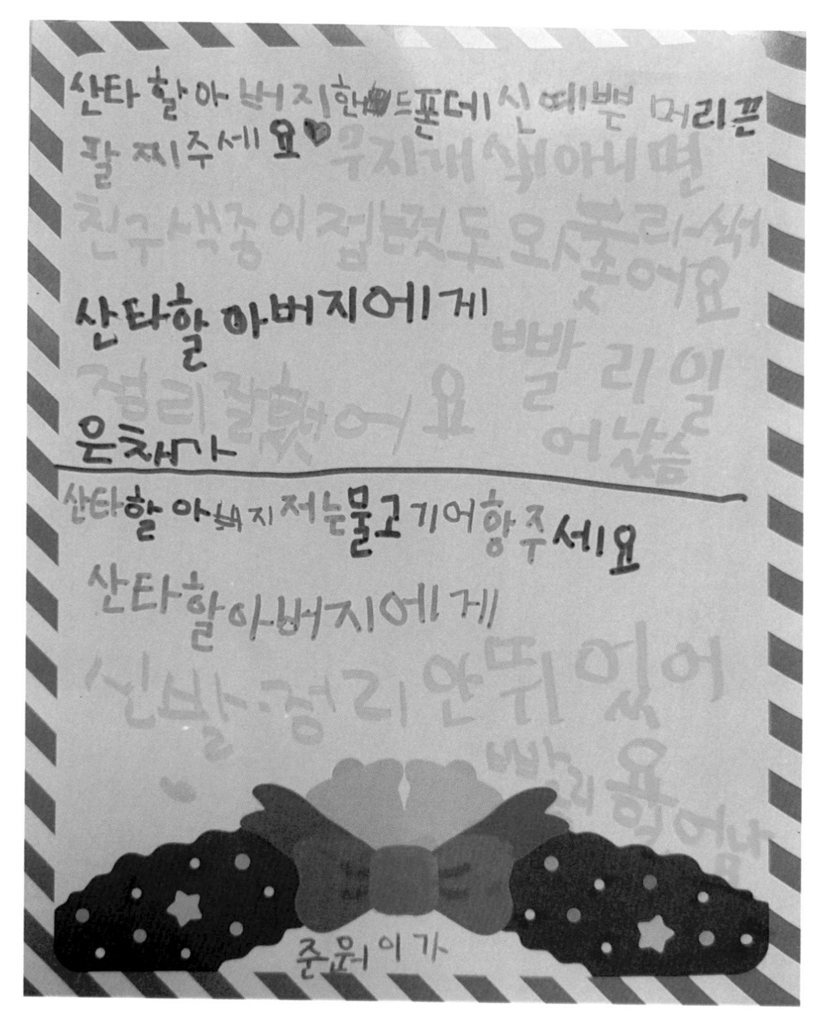

산타 할아버지 핸드폰 대신 예쁜 머리끈
팔찌 주세요

산타할아버지에게

은채가

산타할아버지 저는 물고기 어항 주세요

산타할아버지에게

준윤이가

크리스마스 날 아침, 아이들은 눈을 뜨자마자 선물을 찾는다. 선물이 있다는 안도감과 어떤 선물인지 궁금해하는 기대감으로 포장을 뜯는다. 그리고 자기가 받고 싶던 선물을 받게 되었다며 신기해한다. 그리고 나와 남편은 아이들의 얼굴을 보며 함께 뿌듯해한다.

어쩌면 아이들이 행복해하는 모습을 보고 부모도 같이 행복해지기 위해 선물을 준비하는 것인지도 모르겠다.

30년 전 나의 엄마, 아빠를 떠올려 본다. 엄마와 아빠는 올해 크리스마스 선물은 뭘 준비할지 고민하고, 미리 선물을 사서 숨겨놓으셨을 것이다. 쿨쿨 잠든 나와 동생들의 머리맡에 조심히 선물을 놓고 아이들이 행복해하는 모습을 떠올리며 미소 지었을 것이다. 산타할아버지가 선물을 주고 갔다고 좋아하는 나와 동생들을 보며 모르는 척 맞장구를 쳐 주셨을 것이다. 올해는 크리스마스 선물이 없다고 엉엉 우는 아이들을 달래며 선물 준비를 놓친 서로를 소리 없이 타박하고, 아이들의 순수함을 귀여워했을 것이다. 엄마가 된 나는 이제야 그때의 엄마 아빠를 이해하게 되었다.

크리스마스는 아이들과 부모 모두 행복한 날이다.

새로 알게 된 사실

준원이가 유치원에서 한라산 껍데기(꼭대기)가 뱅농땅(백록담)이라고 배웠다고 나에게 알려줬다.

산방산 근처를 지나면서

"여기가 설문대 할망이 한라산 꼭대기를 던져서 만든 산방산이야."

라고 설문대 할망 전설을 이야기해 줬다. 산방산을 보고 난 후 준원이는 "한라산 껍데기가 왜 이렇게 커?"라고 묻는다. 아직도 준원이에게는 꼭대기가 아니라 껍데기이다.

자두 에이드를 먹고 있는 엄마에게 은채도 자두가 먹고 싶다고 했다. 자두 청에 있는 자두를 줬다.

"자두 맛이 어때?"

"푸룬 맛이 나."

"자두를 말린 게 푸룬이야."

"정말?"

오늘도 세상을 알아 간다.

태권도장에 다녀온 준원이가 말했다.

"엄마, 내일이 태권도 심사인데 심사가 밀칠 수도 있대(미뤄질 수도 있대)!"

"아빠 이번에도 진흙 길로 빨리 가줘."

"준원아, 진흙 길이 아니고 지름길이야."

"알았어. 진흙 길로 가줘."

준원이가 태권도장에서 국기에 대한 맹세를 배웠다. 바른 자세로 서서 태극기를 보면서 해야 하는 거라고 했다.

가족 여행을 가기 위해 공항에 갔다. 창밖으로 비행기에 그려진 태극기를 보더니 준원이가 오른손을 왼쪽 가슴 위에 얹어 엄숙하게 말했다.

"나는 자랑스러운 태극기 앞에 자유롭고 정의로운 대한민국의 무궁

한 영광을 위하여 충성을 다할 것을 굳게 가짐(다짐)합니다."

그리고 엄마에게 요청했다.

"엄마 애국가 불러줘."

여기… 공항인데?

행복한 순간

아침에 일어나 부엌으로 가면 아침을 준비하던 남편이 나를 꼭 안아 준다. "잘 잤어?"라고 밤사이 안부를 물으며 하루를 시작한다.

잠에서 깬 아이들이 눈을 비비며 비틀비틀 나에게 걸어온다. 엄마 품에서 비비적거리며 남은 잠을 깨운다. 나는 "잘 잤어?"라고 아이들에게 물어본다. 우리는 서로 사랑하고 있음을, 사랑받고 있음을 확인하며 하루를 시작한다.

거울을 보니 내 머리가 길었다. 머리를 자를지 말지 고민하다가 준원이에게 물었다.

"엄마 옛날에 이렇게 머리가 짧았는데 그때처럼 단발머리로 자를까?"

"짧은 머리는 아줌마 같아."

"아줌마 같아?"

"음, 아니. 아줌마 같지 않고 초라해."

그냥 머리를 계속 길러야겠다.

은채가 씻고 나온 엄마의 얼굴을 만지더니,

"엄마, 얼굴에 뭐 발랐어?"

"스킨, 로션, 크림"

"엄마가 케이크도 아닌데 왜 크림 발랐어?"

라고 묻는다. 엄마는 왜 크림을 발랐을까?

준원이를 꼭 껴안고 있던 남편이

"준원아, 10년 후에도 아빠 이렇게 꼭 안아줘야 해."라고 말했다. 꼭 이 포즈로 사진을 찍자고 지금의 모습을 사진으로 남겨달라고 한다.

은채가 밥을 먹다가

"엄마, 물"

이라고 엄마에게 물을 요청했다. 그 말을 들은 아빠가

"은채야, 엄마에게 '물 주세요.'라고 길게 말해야지."

라고 알려줬다.

은채가 다시 고쳐서 말했다.

"엄마, 물물물물물물물물"

저녁 먹고 잠자리 꽁꽁 게임을 하며 넷이 거실을 뛰어다녔다. 뛰다가 지친 우리는 앉아서 알까기 게임을 했다. 이젠 아이들이 커서 진심으로 게임을 해야 한다. 내가 어설프게 봐줬더니 나만 계속 졌다. 게임에 져서 좌절하는 나를 보고 은채와 준원이는 춤을 추며 즐거워했다.

소파에 앉아서 은채를 품에 안고 텔레비전을 봤다. 폭 안겨 있는 은채의 품도, 반들반들한 은채의 뱃살도, 금방 씻고 나와 포근한 은채의 머리 냄새도 모두 다 편안하고 행복하다.

어느덧 아이들이 7, 8살이 되었다. 어릴 적 사진과 동영상을 보니 아이들이 정말 많이 컸다. 말도 안 되는 장난과 놀이를 하며 영상 속 우리는 깔깔 웃고 있다. 지금의 놀이와 생활이 그때와 크게 달라지지 않았다. 그때나 지금이나 똑같이 즐겁다. 우리가 달라지지 않고 계속 행복했던 것처럼 앞으로도 계속 행복할 수 있을 것이라는 믿음이 생겼다.

닫는 글

아이를 키우면서 나는 어른이 된 것 같다.

미숙하고 어린 나인데 아이들은 나를 어른으로 만들어 준다.

부족한 게 많은 나를 최고라고 생각해 주는 아이들이 있어 나는 오늘도 더 멋진 사람이 되기 위해 노력한다.

나를 낳아주시고 키워주신 엄마, 아빠

최고의 이모, 이모부, 삼촌인 내 동생들, 제부

남편과 아이들, 그리고 나의 육아까지 해주시는 어머님, 아버님 감사합니다.

나에게 새로운 세상을 알려준 은채야, 준원아. 고맙고 사랑해.

육아 동지이자, 남편이자, 이 책의 첫 번째 독자인 내 남자 사랑합니다.

아이와 함께 어른이 되어간다

발 행 | 2024년 07월 29일
저 자 | 김수미
그림 | 부인혁, 부은채, 부준원
표지그림 | 부은채, 부준원
디자인 | 오은정
인권표현검수 | 이지민
바른우리말검수 | 이지민
후원 | 제주특별자치도, 제주문화예술재단
주관 | 서귀포 오아시스
미디어에디터 | 최인서
작품편집, 에이전트 | 박산솔, 이정숙, 이선경
펴낸이 | 한건희
펴낸곳 | 주식회사 부크크
출판사등록 | 2014.07.15.(제2014-16호)
주 소 | 서울 금천구 가산디지털1로 119, SK트윈타워 A동 305호
전 화 | 1670 - 8316
이메일 | info@bookk.co.kr

ISBN | 979-11-410-9766-0

www.bookk.co.kr

2024 엄마의 활주로 '함께육아에세이'의 취지에 맞게 작가의 감정 표현과
아이의 언어 표현을 지키는 방향으로 교정 교열 하였습니다.

본 책은 강원교육모두체, 학교안심(확장)바른돋움체, 상주다정다감체가 사용되었습니다.

본 책은 제주특별자치도와 제주문화예술재단의 후원을 받아 제작되었습니다.

Jeju JFAC 제주문화예술재단